SAUVE [illegible] JAKO CROCO!

Texte et illustrations de

Mika

Auteure et illustratrice : **Mika**
Graphisme : **Espace blanc design & communication**
www.espaceblanc.com

Dépôt légal - Bibliothèque nationale du Québec, 1er trimestre 2006

Dépôt légal - Bibliothèque et archives Canada, 1er trimestre 2006

ISBN 2-89595-180-2
Imprimé au Canada

Gouvernement du Québec - Programme de crédit d'impôt pour l'édition de livres - Gestion SODEC

Boomerang éditeur jeunesse remercie la SODEC pour l'aide accordée à son programme éditorial.

1

— Je suis vraiment le plus **fort** ! **Le plus fort de tous** !!! C'est qui le meilleur, hein ? **c'est MOI** !

Ainsi se vante toujours Jako Croco. Il est un crocodile fort et bien bâti, c'est vrai, mais sa force et sa vigueur n'égalent pas la profusion de ses vantardises. Et surtout, n'essayez pas de lui faire entendre qu'il a tort, car il a **TOUJOURS** raison. Du moins, c'est ce qu'il aime bien croire !

— ... et regardez mes mâchoires ! Avouez qu'elles sont **SUPER PUISSANTES** !!! Arrrrrrgh !

Jako est... inépuisable !

Puisqu'il est le seul crocodile du bayou, Jako est le plus costaud des animaux de son entourage. Ainsi, le jeune crocodile se considère le chef de sa bande. Il aime penser qu'il est le protecteur de ses amis, petits et faibles, comme il se plaît à les qualifier.

— Même si tu es **GRAND**, **gros** et **fort**, tu n'arriveras pas à m'attraper ! Je suis plus *rapide* que toi !

Léo Lourdo veut prouver à Jako qu'il peut mener la course. Même une gazelle à huit pattes n'arriverait pas à courir aussi vite que cette tortue léopard. Léo connaît la chance qu'il a d'être plus agile et rapide que les autres tortues.

Jako accepte le défi que lui lance Léo. Il ne pourrait faire autrement, toutes les occasions sont bonnes pour prouver à tous qu'il

est incontestablement le meilleur. Le crocodile court sur ses *quatre courtes pattes* et se rend bien compte que Léo, malgré qu'il ne soit qu'une petite tortue un peu **dodue**, a une bonne longueur d'avance sur lui.

— Ça ne se terminera pas comme ça ! se dit Jako.

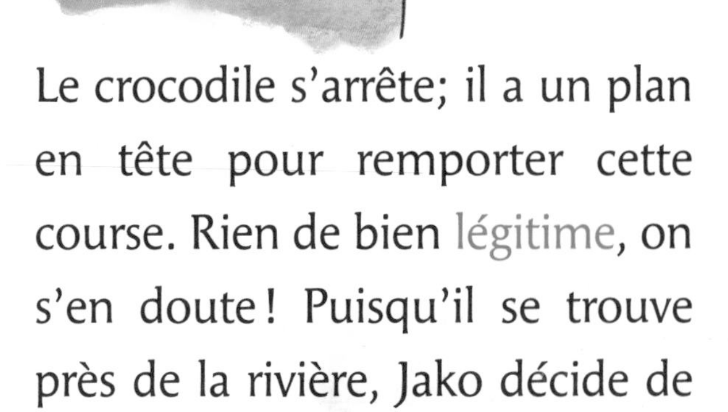

Le crocodile s'arrête; il a un plan en tête pour remporter cette course. Rien de bien légitime, on s'en doute ! Puisqu'il se trouve près de la rivière, Jako décide de créer un barrage en se posant en travers du cours d'eau. Son grand corps arrête ainsi la circulation de l'eau. Jako s'agrippe, mais il sent que le courant devient de plus en plus fort et qu'il est désormais **difficile** de retenir le flot de la rivière. Il se retire, et l'eau amassée se transforme en une énoooorme vague qui se dirige tout droit vers Léo Lourdo.

Avant même qu'il n'ait eu le temps de se rendre compte qu'un tsunami le pourchassait, Léo est emporté par la vague et se retrouve sur la berge, la carapace au sol, le ventre au soleil.

Jako le rattrape.

– **Na ! na ! j'ai gagné !** Tu ne t'es tout de même pas imaginé que tu pouvais gagner une course contre **moi** ?

Léo n'ose pas répondre, il sait que cela n'en vaut pas la peine. Jako croit toujours avoir raison. À quoi bon discuter avec un crocodile qui estime posséder la vérité absolue ! Léo sait que son **gros** ami a un **gros** égo. Il préfère donc en rire.

À quelques pas de tortue de là se trouvent Lucidia Grandotruche, une autruche surdouée, et Viviane Sanvenin, une vipère très polie et fort sympathique. Les deux amies s'affrontent amicalement dans une partie de *Quelques serpents et pièges*.

— Ma chère Lucidia, vous avez encore gagné ! Vous êtes une véritable championne à ce jeu, mais que dis-je, vous êtes la meilleure dans **TOUS** les jeux ! Vraiment, c'est une chance, je dirais même un honneur pour moi de pouvoir affronter une adversaire aussi futée que vous !

— Allons, allons, Viviane ! Cesse de me complimenter de la sorte ! Tu me gênes ! Et je t'ai dit exactement 1 397 fois de ne plus me vouvoyer, voyons !

Jako aide Léo à se remettre sur pattes. Ils se dirigent vers leurs deux amies.

— Oh ! voilà nos deux charmants compagnons ! dit Viviane.

Venez donc vous joindre à nous pour une petite partie !

— Merci de l'offre, Viviane ! dit Jako. Je ne voudrais cependant pas **bousiller** votre plaisir, vous savez comme je suis Bon à ce jeu ! Ce serait vraiment injuste pour vous, mais puisque vous insistez, je vous prouverai, une fois de plus, que je suis le meilleur d'entre vous !

Léo, Viviane et Lucidia échangent des regards complices. Comme il est vantard ! Et comme il a un gros égo, leur ami ! Mais ils préfèrent en rire.

— Crouiiish ! Crac !

Des **bruits** proviennent des broussailles et attirent l'attention des quatre compères. C'est Pierro le perroquet qui se fraie un chemin à travers les feuilles et les branches. Il vole vers eux ***à toute vitesse.***

— Elles a-a… elles arriiiiiiiiiiivent !!! balbutie le perroquet affolé.

— Mais qui donc ? demande Lucidia.

Dans l'énervement, Pierro tente de reprendre son souffle.

— Je viens tou-tou… je viens tout juste de l'apprendre. Je l'ai entendu de la lionne Lili, qui l'a

su de son cousin Germain, qui, lui, l'a appris de la hyène...

— Vas-tu enfin nous dire de quoi tu parles ? J'ai une partie à gagner, **moi** !!! s'impatiente Jako.

— Les **Braconnières** **Azimutées** **Frivoles** ! Cette demi-douzaine de bonnes femmes chasseuses de crocodiles se dirigent droit vers toi, Jako ! Tu es un des seuls spécimens de crocodiles de la région, et **elles veulent ta peau** !!!

— **QUOI ?!** s'exclament vivement les autres.

— **Elles ne m'auront pas !** dit Jako. Sur ma propre tête, je jure que je ne terminerai pas en sac à main Prado ni en bottes Armoni dernier cri ! Ça, non alors ! Je me dénicherai une si

bonne cachette que les **B.A.F.** ne me trouveront jamais !

— **Nous vous aiderons à vous trouver un repaire, mon cher ami !** lance Viviane d'un ton volontaire.

— **Nous ne vous abandonnons pas !** ajoute Lucidia.

— Nous n'avons pas de temps à perdre ! poursuit Pierro. D'après ce que j'ai entendu, **elles pourraient arriver dans la vallée d'une minute à l'autre !!!**

Les cinq amis se préparent avant le **GRAND** départ ; leur expédition pourrait bien durer plusieurs

jours. Léo consulte LE GUIDE DU PARFAIT EXPLORATEUR : « Il ne faut pas sous-estimer les dangers qui nous guettent. » Pour sa part, Viviane fait provision de feuilles et fruits : elle compte bien préparer un savoureux gueuleton en chemin. Lucidia, de son côté, esquisse une carte très détaillée du **Bayou** et des environs et élabore une liste des endroits où ils pourraient se cacher. Jako, lui, supervise ses amis afin que tout soit fait rapidement et adéquatement tandis que Pierro survole les alentours pour s'assurer que les chasseuses ne sont pas dans les parages.

— Partons, maintenant ! ordonne le crocodile.

C'est en tenant la carte de Lucidia entre ses pattes que Jako mène le clan. À la croisée de deux petits sentiers, il s'arrête **brusquement**.

— **Mais ça ne fonctionne pas!** dit Jako. Si nous poursuivons le chemin que tu as tracé, Lucidia, nous reviendrons sur nos pas! **MOI**, je dis qu'il faut aller dans ***l'autre direction***!

— **C'est impossible!** répond l'autruche. Selon mes calculs, nous devons passer par là! Sinon, nous arriverons au fleuve et nous nous retrouverons devant un cul-de-sac!

— **Tu as tort**, je te dis, et **moi, j'ai raison**! réplique-t-il. Tu vois que tu n'es pas aussi intelligente qu'on le prétend! dit Jako sur un ton mesquin. C'est

Ma peau que l'on doit sauver, c'est donc **moi** qui aurai le dernier mot : ***nous prendrons cette direction*** !

— Parfait ! Fais comme tu veux, monsieur **JE-SAIS-TOUT !!!**

Huuuumph !

Sur ces mots, Lucidia Grandotruche quitte la bande et rebrousse chemin.

Derrière Jako, Léo, Viviane et Pierro poursuivent leur route.

— Je trouve, Jako, que vous n'avez **pas** été très **sympathique** à l'égard de cette pauvre Lucidia, avoue Viviane. D'ailleurs, elle a travaillé très fort pour élaborer ce plan, et je suis convaincue qu'elle a raison de penser que...

— **Pas un mot De Plus** ! Je n'ai nul besoin d'entendre tes sornettes, espèce de serpent à sonnette !

– **Je ne suis pas un serpent à sonnette**, je suis une VI-PÈ-RE !!! Et malheureusement, ma langue est trop aimable pour vous dire les mots qui traversent présentement ma pensée ! Au revoir, messieurs Léo et Pierro ! **Quant à vous**, Jako, **je ne vous salue pas** !

Offensée, Viviane décide de revenir sur ses pas et de retourner au bercail.

Jako, Léo et Pierro poursuivent leur route.

— Je n'avais pas besoin d'elles de toute façon ! affirme avec confiance Jako en poursuivant son chemin.

— **Hé ! ho ! gros croco !** s'objecte Léo. Je trouve que tu exagères ! Lucidia et Viviane n'étaient pas obligées de t'aider et encore moins de te suivre dans cette aventure ! Je te rappelle que c'est **TA** peau qu'elles veulent, les **Braconnières Azimutées Frivoles** ! Tu n'es pas très reconnaissant !

— Je n'ai **Besoin De Personne**, tu sauras, **Léo LOUuuurdO** ! réplique promptement le crocodile. Je peux très bien trouver une place de choix où me camoufler le temps que ces femmes quittent l'endroit, et ce, **tout seul**. Rien ne me fait peur, alors tu peux bien partir aussi !

— C'est exactement ce que je vais faire ! Pierro, je te suggère de me suivre, monsieur le-gros-vaniteux-orgueilleux-aux-grosses-dents-et-aux-mâchoires-suuuuuuper-puissantes n'a pas besoin de nous ! Viens !

Léo et Pierro font demi-tour.

— Dis, Léo, se demande Pierro, si je ne reste pas avec Jako, comment fera-t-il pour savoir si les Braconnières ont quitté le bayou ? Il ne peut pas voler comme moi, d'un lieu à l'autre, pour recueillir des informations !

— Tu l'as entendu toi-même, Pierro, il n'a pas besoin de nous !

La vanité et l'arrogance de Jako ont atteint leurs limites, si tu veux mon avis, et **je ne trouve plus cela drôle du tout** !

Loin derrière eux, Jako poursuit sa route... seul.

Plusieurs heures se sont écoulées, et le valeureux crocodile est toujours à la recherche de la cachette parfaite.

— HUMMM... voilà un endroit où personne ne me trouvera ! se dit-il.

Non loin de lui, de l'autre côté d'une rivière, au creux de la vallée, sous un immense tas de branches et de vestiges de toutes sortes, il aperçoit un endroit qui pourrait lui servir de repaire pendant quelque temps.

— J'entrerai par cette cavité et boucherai l'entrée avec d'autres branches. La cachette **PARFAITE** pour un crocodile **PARFAIT** ! Je savais bien que je n'avais besoin de personne !

Jako ne regrette pas d'avoir rejeté tous ses amis. Il se dit que de toute façon, la cachette est bien trop petite pour qu'il y invite qui que ce soit d'autre. Il est convaincu que ses amis auraient nui à son plan si PARFAIT.

Il s'approche de la rivière qu'il doit traverser afin d'atteindre son but. Il entend des bruits, des craquements. Il s'arrête.

— Léo, c'est toi ? demande-t-il.

Dans l'attente d'une réponse, Jako reste IMMOBILE. Il ne le montre pas, mais toute cette histoire commence à le rendre un peu nerveux.

Il poursuit sa route.

— Allez, courage ! se dit-il tout bas. Il ne me reste que ce tout petit cours d'eau à traverser et je serai à l'abri.

Il met une patte à l'eau, puis une deuxième...

— Crouish ! Crouiiish !

Crac !

Il s'arrête de nouveau. Jako n'aime vraiment pas ces bruits. Le vaillant crocodile prend de plus en plus des airs de poule mouillée ! Il tente de se rassurer :

— Ce doit être ce perroquet qui tourne autour de moi pour me surveiller... ou pour me ficher la trouille !

Il regarde au-dessus de lui en cherchant Pierro dans le ciel, puis il regarde derrière. Rien. Il ramène sa tête vers l'avant.

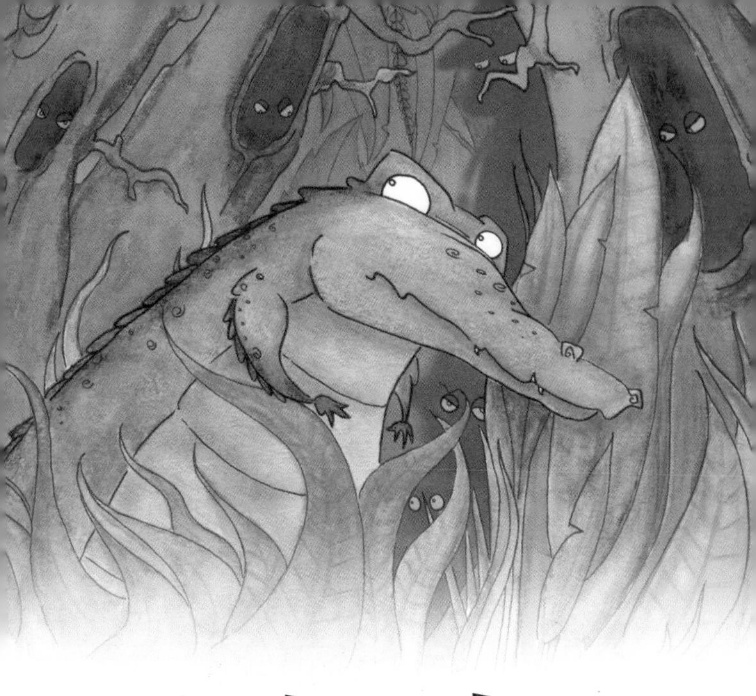

— **Oh ! ho !**

Six **grosses paires** de bottes couvertes de **boue** se trouvent devant lui. Et dans ces bottes, les Braconnières Azimutées Frivoles, vêtues d'**habits de camouflage** à la mode et équipées d'immenses filets et d'une cage, s'apprêtent à capturer leur proie. Elles sont heureuses de leur trouvaille, et leur visage couvert de sueur et de suie s'illumine soudainement d'un large sourire.

— Bonjour, mon croco ! lance l'une d'elles.

La **tension** est **trop forte**, Jako ne peut se retenir :

— Aaaah ! POUhiiiiiiiiiiiin !

Il éclate en sanglots !

Étonnées de la réaction du crocodile, les six femmes se regardent.

— Oh ! tu pleures des grosses larmes de crocodile, mon chou ! dit l'une d'entre elles en rigolant.

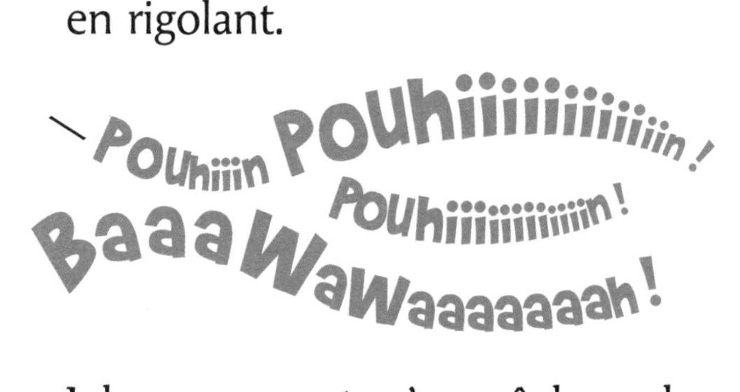

Jako ne peut s'empêcher de pleurer, il est inconsolable !

— **NE ME TUEZ PAS !**
BAAAWAWAAAAAAAH !

— Nous ne voulons pas te tuer, mon croco, nous ne voulons que ta **peau** ! répond une des femmes.

— Nous voulons avoir d'authentiques bottes en peau de crocodile !

— Et des sacs à main !

— Et des porte-monnaie, aussi !

— **Ah ouiii !!!** Hi ! hi ! hi !

Les six chasseuses sautent de joie en pensant à la toute nouvelle garde-robe que leur procurerait Jako.

— Il y a un seul problème, mesdames..., dit une voix qui provient d'entre les branches. Vous pouvez tondre un mouton pour vous faire de somptueux chandails de laine, mais pour avoir la peau d'un crocodile, vous **devez** d'abord le **tuer**...

Les femmes se regardent les unes les autres, incertaines. Et devant elles, assis dans l'eau, Jako pleure toujours !

— Nous ne pouvons lui faire ça ! dit l'une des femmes. Il est si mignoooooon, regardez-le !

Attendries par le crocodile pleurant à chaudes larmes, les Braconnières s'agenouillent près de lui et tentent de le consoler.

— Sois sans crainte, beau croco, nous ne te ferons pas de mal !

— Tu peux te calmer et cesser de pleurer maintenant.

Jako Croco, qui se croyait ***invincible***, se sent maintenant si vulnérable ! Il sait qu'il n'a plus à craindre pour sa vie, désormais, mais il est incapable de retenir ses larmes. Lui qui n'avait **jamais** pleuré auparavant !

— Tu sembles bien piteux pour un crocodile qui n'a Besoin De Personne et qui n'a Peur De rien ! révèle la même voix qui provenait d'entre les branches.

Cette voix est celle de Pierro qui vole vers Jako et les six fanatiques de la mode.

— Pierro ! s'exclame Jako entre deux sanglots. Mon cher ami !

— Tiens donc ! Tu ne tiens pas le même discours que ce matin ! répond le perroquet.

— BaaaWaWaaaaaaah ! Je sais ! J'ai vraiment été **bête** avec vous tous ! Vous êtes mes amis, et je me rends bien compte que vous vouliez m'aider. J'ai été **bête** et **méchant**!!! **Bouuuhaaaaa!**

— Bon! Ça va, ça va! Cesse de pleurer, car si tu continues, la marée sera beaucoup trop élevée, et la vallée sera inondée! dit Pierro pour faire sourire Jako. Tu sais bien que tes excuses seront les bienvenues, mais tâche d'avoir une meilleure attitude envers tes amis à l'avenir. Et puisque pour une fois j'ai ton attention, ce serait bien que tu évites de te comporter comme un **gros croco vantard**... et de nous faire nous sentir comme si nous étions tous des moins que rien...

Sur ces mots, Jako se ressaisit :
— **Gros croco vantard ?** **MOI ?** Voyons ! Je ne fais que constater à quel point je suis **GRAND** et **fort** ! Quand je fracasse un énorme tronc d'arbre avec mes mâchoires **SUPER PUISSANTES**, tu sais, je m'épate moi-même ! **Arrrrrrgh** ! Et ce, sans compter quand je...

Et ça recommence !

Voyant que le crocodile a repris ses esprits, les six femmes se lèvent.

— Je crois, mes chères, qu'il serait temps que nous revenions à nos moutons !

— Et si nous adoptions le crocodile ? Il est trop chou !

— Ne dis pas de Sottises, voyons !

— Oh ! peut-être pourrions-nous nous lancer dans la production de chapeaux... à plumes !

Oh! ho!

Glossaire

Absolu : entier, inconditionnel

Affronter : défier, se mesurer

Authentique : véritable

Azimuté : fou

Balbutier : bégayer

Bayou : eaux peu profondes à faible courant ou stagnantes

Bercail : maison, domicile, abri

Broussailles : végétation

Cul-de-sac : chemin sans issue

Égo : amour-propre, orgueil

Estimer : penser, juger

Fanatique : passionné, maniaque

Gueuleton : repas

Légitime : règlementaire, légal

Mesquin : médiocre, petit

Profusion : abondance, ampleur

Proie : victime

Rebrousser : retourner, aller en arrière

Sornette : sottise, bêtise, baliverne

Tsunami : raz-de-marée

Vaillant : valeureux, courageux, brave

Vantard : qui aime se complimenter, se vanter

La langue fourchue

Il existe plusieurs proverbes et expressions concernant les animaux du roman. Trouve la vraie signification de l'expression donnée.

Sur une feuille blanche, écris ta réponse à chaque question et viens la comparer avec le solutionnaire en page 47.

1. *Verser des larmes de crocodile* signifie :
a. Pleurer sans fin
b. Pleurer sans être réellement triste, pour faire croire qu'on a du chagrin
c. Pleurer de toutes petites larmes

2. Marcher *à pas de tortue* signifie :
a. Marcher sur ses quatre pattes
b. Danser
c. Marcher très très lentement

3. *Faire l'autruche* signifie :
a. Se tenir droit
b. Vouloir ignorer la vérité
c. Ouvrir grand les yeux

4. Avoir *une langue de vipère* signifie :
a. Être méchant et médire constamment
b. Avoir une langue pointue
c. Cracher du venim

M'as-tu Bien lu ?

Voici un quiz qui te permettra de voir si tu as bien lu *Sauve ta peau, Jako Croco !*

Sur une feuille blanche, écris ta réponse à chaque question et viens la comparer avec le solutionnaire en page 47.

1. Comment nomme-t-on le lieu où vit Jako ?

a. Bayou
b. Anjou
c. Bajou

2. Que lit Léo avant de partir en expédition ?

a. Un roman
b. Une encyclopédie
c. Un guide de survie

Arrrrgh !

3. De quelle partie de son anatomie Jako est-il particulièrement fier ?

a. Ses bras
b. Ses mâchoires
c. Ses jambes

4. Quel est le nom de l'amie autruche de Jako ?

a. Lucia
b. Viviane
c. Lucidia

5. Combien de braconnières veulent la peau de Jako ?

a. 4
b. 6
c. 7

6. À quel animal fictif compare-t-on la rapidité de Léo Lourdo ?

a. Un léopard radioactif
b. Une gazelle à huit pattes
c. Une panthère-éclair

T'es-tu bien amusé avec les quiz *La langue fourchue* et *M'as-tu bien lu ?*

Eh bien ! Jako a conçu d'autres questions et jeux pour toi. Il t'invite à venir visiter le www.boomerangjeunesse.com. Clique sur la section Catalogue, ensuite sur M'as-tu lu ?

Amuse-toi bien !

Solutionnaire

La langue fourchue

Question 1. La réponse est : b.
Lorsqu'on dit de quelqu'un qu'il verse des larmes de crocodile, on insinue qu'il mime une fausse tristesse.

Question 2. La réponse est : c.
Marcher à pas de tortue signifie se déplacer très lentement. On dit d'une personne qu'elle fait la tortue lorsqu'elle est retardataire ou traînarde.

Question 3. La réponse est : b.
Faire l'autruche signifie que l'on refuse de voir la vérité. L'expression « Se mettre la tête dans le sable » est une autre manière d'exprimer cette attitude.

Question 4. La réponse est : a.
On dit d'une personne qu'elle a une langue de vipère lorsqu'elle est médisante et que ses propos sont méchants et dénigrants

M'as-tu bien lu ?

Question 1 : a.
Question 2 : c.
Question 3 : b.
Question 4 : c.
Question 5 : b.
Question 6 : b.

Titres de la Collection